En las nubes

云端之上

[西] 玛尔塔·塞拉·穆纽兹 / 著

[西] 克劳蒂娅·莱格纳西 / 绘

熊铁莹 / 译

新蕾出版社

图书在版编目 (CIP) 数据

云端之上/(西)穆纽兹著;熊铁莹译.
—天津:新蕾出版社,2009.1
(世界经典桥梁书)
书名原文:En las nubes
ISBN 978-7-5307-4348-5

Ⅰ.云…
Ⅱ.①穆…②熊…
Ⅲ.儿童文学–故事–西班牙–现代
Ⅳ.I551.85
中国版本图书馆 CIP 数据核字(2008)第 193531 号

Original title: EN LAS NUBES
Text © MARTA SERRA MUÑOZ
Illustration © CLAUDIA LEGNAZZI
© EDITORIAL EVEREST, S.A.
Simplified Chinese translation copyright © 2008 by New Buds
Publishing House
ALL RIGHTS RESERVED
津图登字:02–2008–37

出版发行:新蕾出版社
E-mail:newbuds@public.tpt.tj.cn
http://www.newbuds.cn
地　　址:天津市和平区西康路 35 号(300051)
出 版 人:纪秀荣
电　　话:总编办(022)23332422
　　　　　发行部(022)23332676　23332677
传　　真:(022)23332422
经　　销:全国新华书店
印　　刷:北京尚唐印刷包装有限公司
开　　本:889mm×1194mm　1/32
印　　张:3
版　　次:2009 年 1 月第 1 版第 1 次印刷
定　　价:16.00 元

文学的生活

写给孩子

我不知道你喜欢不喜欢文学。我怎么会知道呢，我又不认识你。不过我知道你应该喜欢！不喜欢文学，那多可惜。不喜欢文学，你就少了一种生活。少了什么生活呢？少了文学生活。文学不只是一篇童话，一本小说，它也是一种生活。你阅读的时候是在过这种生活，你惊奇地进入了故事的叙述，感动，诗意，你更是到了这生活里。没有这生活，整天只是走在真实的路上，坐在真实的课桌前，晚上回到家，在真实的餐桌前吃了真实的饭，立即又坐到真实的书桌前，做啊，做啊，做着真实的作业，结果，好不容易躺在真实的床上睡觉了，好不容易做了一个梦，可是梦里的故事呢？还是在做真实的功课。只不过有一点不太真实，那就是，无论你速度怎么快，总是做不完。做不完啊，做不完。后来，你爸爸，你妈妈，你爷爷，你奶奶，你外公，你外婆，连你们小区的保安也一起来帮你做了。结果，总算做完了，不过，却全部都做错了。于是，你就真实地吓醒了。

　　我这么说，好像有点夸张，像顺口开一个又是嘲弄又有同情的玩笑。但是我的心意是真实的。我的认识是真实的。我希望你同意的道理是真实的。那就是，一个人应该有文学的生活。它是可以确保你一生的努力、辛劳、琐碎，乃至困顿里，会有轻盈的心情，会有暖和的贴近，会有美丽的愿望，会有明亮的映照，于是就会有很多的快乐掠过。幸福不等于每时每刻都快乐，没有丝毫苦恼，可是总有快乐从跳动的心上掠过，那很多的掠过就是幸福的感觉了。

写给父母

　　我不知道你的孩子比现在更小的时候，是不是阅读过很多图画书。那只有你们自己知道，你们的孩子知道。你们自己拥有过，或者也是你们自己的遗憾。但是我知道，很多的孩子、很多很多的孩子是没有这样的阅读的。因为他们的爸爸妈妈觉得字那么少，图那样多，买这样的书读，简直是浪费；简直就不配称为阅读；简直就是眼睁睁地让一个孩子读成傻瓜。因为有很多这样"聪明"的爸爸妈妈，所以就有了很多没有资格阅读到图画书的可怜的孩子，可怜的儿子和女儿。

　　可怜什么呢？他们没有读到那些鲜艳、风趣、神采飞扬的书！他们的记忆里没有那样的五颜六色、天真憨态、精致印刷！

　　那都是一些多么符合他们的书。它们诞生着一个孩子阅读的

快乐,诞生着他们对文学对书籍一生的爱不释手。诞生很富有的目光,诞生不愿将就的美的标准。它们好像是在诞生着一个人心里的很多内容,它们其实也是在诞生所有人都能看见的新的家园,新的城市,新的国家容貌。

现在,你的孩子是不是已经上学了?已经是小学生?那么好的,你可以让他阅读这样的既有很多图,也有不算少的文字的书。它们是图画书和文字书之间的一种书籍。它们仍旧是那么关切着孩子的阅读趣味和吸引,可是也顾及着孩子总要渐渐习惯文字阅读,在更多的文字间学习和思考的能力。它们不打算一下子就从满页动人的颜色忽地跳到满页的白纸黑字。它们很用心地设计了这过渡,这渐渐地离开和渐渐地靠近;它们盛满的是今天的世界、今天的写作、今天的出版对于童年的细心的理解、细心的照料。现在的珍爱童年,是越来越科学了。

面对这盛满,我们也盛满了,所有的正在找寻孩子们该读些什么的父母们盛满了吗?

盛满什么呢?

当然是豁然开朗,当然是放心,当然是感激。

我们再仔细一看,还盛满了父母们的真正的聪明呢!

目录

衣柜

从表面上看，碧娜的房间没有任何特别之处——很窄，墙上有些粉红色的圆点，几块隔板上放着《儿童画报》和书籍，天花板上吊着一个大地球

yí
仪。

fáng jiān de yí cè　pū zhe lán sè chuáng dān de xiǎo
房间的一侧，铺着蓝色床单的小

chuáng kào chuāng ér fàng　chuáng qián yǒu jǐ gè jià zi zhī
床靠窗而放。床前有几个架子支

chēng zhe yí kuài bái bǎn　shàng miàn yǒu yí liè huáng sè de
撑着一块白板，上面有一列黄色的

huǒ chē zhěng zhuāng dài fā
火车整装待发。

fáng jiān jìn tóu　bǎi fàng zhe yí gè lǎo lì mù yī
房间尽头，摆放着一个老栎木衣

guì
柜。

bì nà zǒu jìn fáng jiān　guān shàng fáng mén　qǐ dòng
碧娜走进房间，关上房门，启动

huǒ chē bìng dǎ kāi le yī guì dǐ céng de chōu ti　tā tuō
火车并打开了衣柜底层的抽屉。她脱

diào xié zi　xiàng zǒu lóu tī yí yàng yán zhe chōu ti zǒu le
掉鞋子，像走楼梯一样沿着抽屉走了

shàng qù
上去。

cóng yī guì dǐng shang kàn xià qù　zhěng gè fáng jiān
从衣柜顶上看下去，整个房间

jiù bù yí yàng le
就不一样了。

cóng gāo chù kàn　qiáng gèng gāo le　kōng jiān yě gèng
从高处看，墙更高了，空间也更

dà le　qiáng shang de bān diǎn xiàng yún cai yí yàng piāo fú
大了，墙上的斑点像云彩一样飘浮

zhe　yí huìr　xiàng nǎi niú　yí huìr　xiàng zhǎng zhe hú
着，一会儿像奶牛，一会儿像长着胡

xū de kǎn chái rén　yí huìr　xiàng pēn zhe shuǐ zhù de jù
须的砍柴人，一会儿像喷着水柱的巨

jīng　páng biān de huáng sè huǒ chē cháng míng zhe qì dí pá
鲸，旁边的黄色火车长鸣着汽笛爬

shàng shān dǐng
上山顶。

cóng zhè ge gāo dà de　tǎ lóu　shang kàn guò qù
从这个高大的"塔楼"上看过去，

床单的褶皱就像大海里细小蓬松的

浪花。

如果碧娜趴下来，就可以很容易地

在墙头漫步，也可以在书本堆成的小

山丘上攀爬。

在下巴下面垫一个枕头，五颜六

色的斑点在她眼前逐渐扩散为城市，

她就漫无目的地游走于这些城市间。

如果碧娜不想让任何人找到她，

她就爬上衣柜——因为谁都不会想到

yào xiàng shàng kàn
要 向 上 看。

　　wèi le bú guò duō shǐ yòng yī guì　yǒu shí yě xū yào
　　为了不过多使用衣柜,有时也需要

zǒu xià dì miàn　zài duì yī guì niàn niàn bú wàng de tóng shí
走下地面,在对衣柜念念不忘的同时

guò diǎn zhèng cháng de shēng huó
过点正常的生活。

　　yí dàn bì nà zǒu xià dì miàn　guān shàng chōu ti
　　一旦碧娜走下地面,关上抽屉,

tōng wǎng yī guì de lù jiù shì gè mì mì le
通往衣柜的路就是个秘密了……

城市

En las nubes ●●●●●●●●●●●●●●

在学校里，下午通常是朗诵诗集
的时间。当碧娜的舌头全力地配合着
朗诵那些押韵的诗句时，她的头脑里
想的却全是她的城市。

chèn lǎo shī bú zhù yì　tā dǎ kāi shū zhuō　bǎ tóu
趁老师不注意，她打开书桌，把头

shēn jìn qù　yí zuò wēi xíng chéng shì zài shū běn xià jiàn jiàn
伸进去。一座微型城市在书本下渐渐

kuò dà　shù　jiē dào　qí zì xíng chē de hái zi men
扩大：树，街道，骑自行车的孩子们，

城市里布满了粉红色和绿色屋顶的

小房子，红蓝相间的缆车……

当碧娜关上书桌，城市的运转

就停止了。

过了一会儿，她再次打开书桌。在

缓慢地朗读诗句的同时，碧娜安静地

跟一个正在爬树的男孩交流。

碧娜用眼睛和他交谈，同时嘴里

也没有中断音乐般的诗句。这个男孩

告诉她，爬到树上可以更好地看到缆

chē zhè liàng lǎn chē yán zhe yì tiáo jīn huáng sè de diàn lǎn
车。这辆缆车沿着一条金黄色的电缆

chuān yuè zhěng zuò chéng shì shù zhī shang zuò mǎn le děng zhe
穿越整座城市。树枝上坐满了等着

kàn lǎn chē de hái zi men
看缆车的孩子们。

大树那银色的树冠遮住了正在通过的缆车，现在刚好看不到，利用这个时间碧娜关上书桌，确保老师没有注意到她。现在诗的朗诵马上就要结束了。注意，城市再有四秒钟就要消失了！

月亮仙子还没出来

她在转着圈玩耍

她还自己开着自己的玩笑

yuè liang men de yuè liang
月 亮 们 的 月 亮

bì nà zài cì dǎ kāi shū zhuō yòng jǐ běn shū gài
碧娜再次打开书桌，用几本书盖

shàng chéng shì hǎo le xué dào le jí hǎo de shī chéng
上 城 市。好了。学到了极好的诗，城

shì yě ān quán de shuì qù le
市也安全地睡去了。

chéng shì míng tiān jiàn
"城市，明天见！"

碧娜妈妈的妈妈长得和她们一点
都不像。

她很老，也比较胖，耳朵有点背，
每天早上碧娜都帮助她把灰色的长

fà shū chéng fà jì
发梳成发髻。

tā yǐ jīng bú zài yòng fà qiǎ lái gù dìng fà jì le
她已经不再用发卡来固定发髻了。

bì nà hěn xǐ huan nà xiē hēi sè de liàng liàng de xiàng
碧娜很喜欢那些黑色的、亮亮的、像

jīn shǔ máo chóng yí yàng de fà qiǎ jīng cháng yòng shǒu bǐ
金属毛虫一样的发卡,经常用手比

hua zhe fà qiǎ de xíng zhuàng
划着发卡的形状。

wài pó zǒng shì ràng suǒ yǒu rén dōu gǎn dào jǐn zhāng
外婆总是让所有人都感到紧张,

yīn wèi tā tīng bù qīng jīng cháng nòng diū jiǎ yá hái fǎn
因为她听不清,经常弄丢假牙,还反

fù de wèn yì xiē xiāng tóng de wèn tí tā hái tōu tōu de
复地问一些相同的问题。她还偷偷地

chī dōng xi zài jiā li yì quān yì quān de zǒu lái zǒu qù
吃东西,在家里一圈一圈地走来走去,

zhù tīng qì bù tíng de wēng wēng zuò xiǎng
助听器不停地嗡嗡作响。

但对碧娜来说，所有这些都是再正常不过的事了。尽管外婆上了年纪，但还是能用碎布缝出漂亮的娃娃，烤出世界上最好吃的饼干，织出复杂的靠垫。

所有这些里最好的就是外婆的针线盒：里面有方盒子、小圆盒子、格子，甚至还有两层的呢！

她们俩都喜欢一遍遍地数针线盒里的东西。很多好玩的东西，永远感

觉新鲜：小布片、黑色的松紧带、珍珠的纽扣、甘草片、圆珠笔红色的笔帽、各种尺寸的顶针、蓝色、黄色和淡紫色的笔芯、几团轴线、两把剪刀、中间

有孔的金黄色的古币、染着颜色的圣徒的神像、两头尖的银色铅笔、草莓和柠檬酸糖、带浮雕的细小框架,碧娜经常用手指去摸这些浮雕。针盒里

zhuāng zhe jìn sì yuán xíng zhēn yǎn de zhēn sù liào de hóng
装 着 近 似 圆 形 针 眼 的 针 、 塑 料 的 红

sè xiǎo huán huà bù liào yòng de bái fěn bǐ bù tóng cū xì
色 小 环 、 画 布 料 用 的 白 粉 笔 、 不 同 粗 细

的钩针、褪色的照片、外国邮票、玻璃

纸片……

　　"外婆，你的假牙！"碧娜喊道，胜

利地挥舞着红白相间的缠着线的假

牙。

　　"终于找到了！"外婆咧开没有牙

齿的嘴微笑道，"我再也吃不下你妈妈

做的土豆泥了……"

　　当外婆把假牙重新戴上之后，又

立刻专心地"投入"针线盒里去了。

皮箱

En las nubes ●●●● ●●●●●●●

yí gè xīng qī tiān de shàng wǔ bì nà de mā ma
一个星期天的上午，碧娜的妈妈

zhěng lǐ wán gé lóu zài bì nà de yī guì dǐng shang liú xià
整理完阁楼，在碧娜的衣柜顶上留下

le yí gè huī sè de pí xiāng
了一个灰色的皮箱。

mā ma zài zhěng lǐ gé lóu shí wàng jì bǎ zhè ge pí
妈妈在整理阁楼时忘记把这个皮

箱放回去了,因为梯子已经收起来了,

所以只能在下次整理阁楼时再放回

去,妈妈只得把皮箱放在碧娜房间的

衣柜上。

碧娜很生气。那个皮箱很明显

占据了她的空间。

晚上,当所有人都上床睡觉

时,碧娜爬上衣柜,打开了皮箱。

箱子是空的,但是当呼吸到里面

散发出的气味时,碧娜所有的怒气都化

wéi wū yǒu

为乌有。

xiāng zi li yǒu shī cǎo de wèi dào hái yǒu huí xiāng

箱子里有湿草的味道，还有茴香

gēn kā fēi de wèi dào hái yǒu jú zi hé níng méng bǐng gān

跟咖啡的味道，还有橘子和柠檬饼干

de wèi dào

的味道。

guān shàng pí xiāng bì nà pá dào chuáng shang zài
关 上 皮 箱 ，碧 娜 爬 到 床 上 ，在

tǎn zi xià xiǎng zhe xiǎng zhe jiù shuì zháo le
毯 子 下 想 着 想 着 就 睡 着 了 。

dì èr tiān tā yǐ jīng jué dìng yào zěn me zuò le
第 二 天 她 已 经 决 定 要 怎 么 做 了 。

下午，放学回家，碧娜钻进自己的

房间，立刻关上房门。

爸爸妈妈听到碧娜在房间里忙

着，但谁都不知道她在忙些什么。

过了几天，有一天下午碧娜觉得很

无聊，她爬上衣柜，把箱子打开：箱子

已经不再是空的了。

她首先闻了一会儿里面的味道。

现在还能闻到书店的味道，一点甘草

的味道，还有薄荷口香糖的味道。

rán hòu tā qǔ chū yí gè shǒu diàn tǒng bìng dǎ kāi
然后她取出一个手电筒并打开。

tā zài cì zài xiāng zi lǐ miàn xún zhǎo tiāo chū le yì běn
她再次在箱子里面寻找，挑出了一本

ér tóng huà bào
《儿童画报》。

zuì hòu tā dǎ kāi le cáng zài xiāng zi dǐ bù de
最后，她打开了藏在箱子底部的

xiǎo chī dài qǔ chū lái yì jié gān cǎo kāi shǐ jiáo zhe
小吃袋，取出来一截甘草，开始嚼着，

tóng shí jiè zhe shǒu diàn tǒng de guāng liàng kàn zhe ér tóng
同时借着手电筒的光亮看着《儿童

huà bào
画报》。

xiàn zài bì nà zài yě bù xī wàng mā ma bǎ pí xiāng
现在碧娜再也不希望妈妈把皮箱

fàng huí yuán chù le wèi le ràng mā ma xiǎng bù qǐ lái pí
放回原处了。为了让妈妈想不起来皮

xiāng zhè jiàn shì tā bǎ pí xiāng yí dào shì xiàn zhī wài
箱这件事，她把皮箱移到视线之外，

043

fàng zài yī guì dǐng bù de jiǎo luò li　yǐ biàn rèn hé rén dōu
放在衣柜顶部的角落里，以便任何人都

kàn bú dào tā
看不到它。

　　suí zhe shí jiān de tuī yí　bì nà yì diǎn diǎn de
　　随着时间的推移，碧娜一点点地

yòng tā de bǎo bèi bǎ pí xiāng tián mǎn le　zhí dào yǒu yì
用她的宝贝把皮箱填满了。直到有一

tiān jiā rén tīng dào　pū tōng　yì shēng　bì nà hé pí xiāng
天家人听到"扑通"一声，碧娜和皮箱

li suǒ yǒu de dōng xi dōu diào xià lái le　pí xiāng tài
里所有的东西都掉下来了——皮箱太

zhòng le　jū rán yā huài le yī guì de dǐng bù　dāng mā
重了，居然压坏了衣柜的顶部！当妈

ma dǎ kāi yī guì shí　kàn dào le tóu shang guà zhe yì duī
妈打开衣柜时，看到了头上挂着一堆

yī jià de bì nà
衣架的碧娜。

　　bì nà yǒng yuǎn yě wàng bù liǎo dāng guāng xiàn jìn rù
　　碧娜永远也忘不了当光线进入

衣柜时，妈妈脸上的惊讶表情。

实在无法给这么大的灾难找一个

合理的解释来说服妈妈，最后碧娜不得

不承认了事实。

就是因为这件愚蠢的事，碧娜失去

了衣柜，也失去了皮箱，并在手臂和大

腿上留下了许多划痕，而且被妈妈的

尖叫震得有些耳鸣。

外婆笑了，什么都没说。

发明

En las nubes

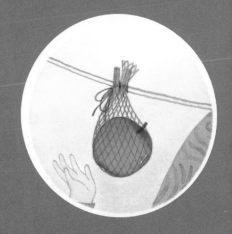

bì nà tū rán yǒu le gè zhǔ yi　 yí gè zhōu mò
碧娜突然有了个主意，一个周末，

bà ba mā ma chū qù lǚ xíng le　 tā kāi shǐ shí shī jì
爸爸妈妈出去旅行了，她开始实施计

huà
划。

qí shí hěn róng yì　 zhǐ xū yào liǎng gè luó sī dīng
其实很容易，只需要两个螺丝钉

hé yì tuán máo xiàn　　bì nà zài wài pó jiǎo xià de xiàn tuán
和一团毛线。碧娜在外婆脚下的线团

zhōng tiāo chū yì tuán hóng sè de
中挑出一团红色的。

　　　　tā bǎ yí gè luó sī dīng nǐng zài tā zì jǐ chuáng
　　她把一个螺丝钉拧在她自己床

biān de qiáng shang　　lìng yí gè nǐng zài wài pó zuò de yǐ zi
边的墙上，另一个拧在外婆坐的椅子

biān de qiáng shang
边 的 墙 上 。

rán hòu tā bǎ xiàn tuán de yì tóu chán zài wài pó nà
然后她把线团的一头缠在外婆那

biān de luó sī dīng shang yòng shǒu zhōng de xiàn tuán xiàng wài
边的螺丝钉上,用手中的线团向外

lā shēn wǔ dà bù de jù lí dào dá tā de fáng jiān bǎ
拉伸五大步的距离到达她的房间,把

线绕到她床边的螺丝钉上，再把它绕回外婆那边，随后绕到她这里，然后剪断线团，把线的两头系在一起。最后，她拿起晒衣服的夹子，夹在线上。

"好了，这样我们可以不用动地方就能互相发送信息了！"碧娜喊道，高兴得蹦蹦跳跳地回到房间。

碧娜躺在床上，拿起了一张纸，写道："外婆，如果你饿的话，通知我。"

她把纸条用夹子夹上，移动绳子直到确信纸条已经从她这边移到了外婆的椅子那边。

外婆拿起纸条，喊道："好的！"

过了一会儿，当碧娜躺在床上看着自己收集的印章时，她收到一张纸条，上面写着："信使女士，你能给我送个苹果来吗？"

碧娜知道外婆中午喜欢吃一个苹果，她已经准备好了一个。于是她把苹

果装在一个小袋子里，把袋子用两个

夹子夹在绳上，传送过去。

苹果到达了目的地，外婆从袋子里

取出苹果，用随身携带的小刀削皮，然

后高兴地吃起来。

chī fàn shí　liǎng gè rén zuò zài zhuō qián　wài pó duì

吃饭时，两个人坐在桌前，外婆对

tā shuō

她说：

yǒu diǎn màn　bú shì ma

"有点慢，不是吗？"

shì　dàn shì rú guǒ nǐ bú yuàn yì cóng yǐ zi shang

"是，但是如果你不愿意从椅子上

zhàn qǐ lái　zhè yàng zuò hěn fāng biàn

站起来，这样做很方便。"

zhè dào shì　wài pó huí dá dào

"这倒是！"外婆回答道。

yīn wèi wài pó hěn pàng　suǒ yǐ cóng yǐ zi shang zhàn

因为外婆很胖，所以从椅子上站

qǐ lái hěn fèi jìn　dāng tā xiǎng zhàn qǐ lái shí　jīng cháng

起来很费劲。当她想站起来时，经常

xū yào bié ren bāng zhù　hái děi hǎn zhe　xiàng xiàng xiàng

需要别人帮助，还得喊着："向向向

shàng　tè ào fēi lā　zhè shì wài pó de míng zi

上，特奥菲拉！"——这是外婆的名字。

其中"向"字会持续很长时间，

那是外婆站起来所需要的时间。

豌豆公主

碧娜最好的朋友名字叫赫沃尔吉娜·贝尔图拉，在西班牙文里就是"蔬菜"的意思。

所以班上的孩子们都取笑她，叫

她"豌豆"。

她的父母和姐妹都叫她名字的简

称——吉娜。

事实上，碧娜对这三个名字都喜

欢，她不明白为什么人们会觉得她朋

友的真名很可笑。

但吉娜对这三个名字都不喜欢。

有一天，为了安慰她，碧娜对她

说，曾经有过一个豌豆公主。

吉娜不相信。

碧娜对她说，她在一本书上读过，

还给她讲了故事的内容：

有一个王子想找一个真正的

公主结婚，他跑遍整个世界去找，但

全都是假的，都想骗他。

这让他很疲惫，于是他返回自己的

宫殿。有一天晚上下着瓢泼大雨，有

人敲他的门。

那是一个公主，尽管看起来不

像，因为她浑身上下都在滴水。她不

但不像一个公主，而且更像一个乞丐！

所以，王子的母亲为了检验一下她到底是不是真公主，就把她带到客房，那里准备了一张特别的床，在床上放了一颗豌豆，然后在上面放了十五个床垫，一个摞一个，又在上面铺了十七床驼绒褥子。你能想象吗？

公主晚上睡在那张床上，第

二天王后问她睡得怎么样，她回答说

糟糕极了，有什么硬东西硌得她睡不

着，皮肤都淤青了！

用这个方法证实了她是一个真

正的公主，因为尽管放了这么多床

垫和驼绒褥子，她娇贵的皮肤还是能

感觉到豌豆！

从那天以后，人们都叫她豌豆公

主。当她坐着皇家马车在国家里行走

时，没人取笑她的名字，人们都向她

欢呼："豌豆公主万岁！公主的名字
最好听！"另外，她和王子非常幸福地
生活着。当她死去的时候，王子命人
雕了一尊雕像，上面写着"豌豆公
主"，那尊雕像现在还在一个叫安德森

de chéng shì
的 城市。

jí nà fēi cháng xǐ huan zhè ge gù shi　fēi kuài de
吉娜非常喜欢这个故事，飞快地

ná qǐ yì zhī qiān bǐ　huà le yì fú yǒu hěn duō chuáng
拿起一支铅笔，画了一幅有很多床

diàn　rù zi hé xì xiǎo wān dòu de chǎng jǐng de tú huà
垫、褥子和细小豌豆的场景的图画。

zài shàng miàn tā huà shàng le zì jǐ
在 上 面 ，她 画 上 了 自 己 。

dǐ xia yòng dà xiě zì mǔ xiě zhe
底 下 用 大 写 字 母 写 着：

hè wò ěr jí nà
赫 沃 尔 吉 娜

jí nà
吉 娜

bèi ěr tú lā
贝 尔 图 拉

wān dòu gōng zhǔ
豌 豆 公 主

xiàn zài tā yòu duō le yí gè míng zi dàn shì hé qí
现 在 她 又 多 了 一 个 名 字 ，但 是 和 其

tā míng zi bù tóng zhè ge tā xǐ huan
他 名 字 不 同 ，这 个 她 喜 欢 。

赛跑

yì tiān xià wǔ　　bì nà hé wài pó yì qǐ zuò zài lù
一天下午，碧娜和外婆一起坐在露

tái shang　　bǎi yè chuāng zhē zhù yí bàn guāng xiàn　　tóu xià
台上，百叶窗遮住一半光线，投下

ràng rén yú kuài de yīn yǐng
让人愉快的阴影。

lù tái shang yǒu yì bǎ lán sè de sù liào tiáo biān de
露台上有一把蓝色的塑料条编的

椅子和一把摇椅，摇椅上放着一个红
色的坐垫。

蓝色的椅子是碧娜阅读时喜欢坐
的地方，放红色坐垫的摇椅是外婆缝
东西时喜欢坐的。

蓝色的椅子可以折叠，有脚踏板，
另外椅背可以倾斜到身体完全伸展
开的角度。

蓝色的椅子上堆满了碧娜的故事
书和《儿童画报》。

069

实际上，蓝色的椅子是用来"赛跑"的。

外婆是备受折磨、一言不发的裁判员。助听器发出嗡嗡的声音。

用书和巧克力奶油的点心比赛——听起来怎么样？

碧娜坐在蓝色的椅子上，舒展着她的身体，她的一边是一只手能够到的一摞书，另一边是另一只手能够到的一堆点心。

liǎng biān de liǎng luò dōng xi jī běn shang zài tóng yì
两边的两摞东西基本上在同一

gāo dù shang   shū bì nà   diǎn xin gòu chéng le yí gè sān
高度上，书、碧娜、点心构成了一个三

jiǎo xíng
角形。

bì nà zǒng xī wàng diǎn xin nà luò néng yíng dé bǐ
碧娜总希望点心那摞能赢得比

sài
赛。

wài pó shuō　　zǒng yǒu yì tiān nǐ huì dé jié cháng
外婆说："总有一天你会得结肠

yán de
炎的。"

nǐ bié ràng wǒ fēn xīn　　bì nà huí dá dào
"你别让我分心!"碧娜回答道。

jiù zhè yàng kāi shǐ le sài pǎo
就这样开始了赛跑。

shì shí shì shū de nà luò yǒng yuǎn yíng　dàn shì bì
事实是书的那摞永远赢,但是碧

nà xī wàng diǎn xin nà luò néng yíng jǐ cì　jǐn guǎn zhè yàng
娜希望点心那摞能赢几次。尽管这样

de bǐ sài jìn xíng le xǔ duō cì　dàn hái méi yǒu yù dào shén
的比赛进行了许多次,但还没有遇到什

me hǎo chī de dōng xi néng gòu xiàng dú shū yí yàng jiān chí
么好吃的东西能够像读书一样坚持

de nà me jiǔ
得那么久。

什么都不行，尤其是巧克力类的

东西，巧克力奶油点心是目前为止输

得最快的。

"你总是吃得比读得快。"外婆舔

着嘴唇说。

"是你老拿这些点心，我看到了！"

碧娜整张脸都有棕色的巧克力痕迹。

最后，赛跑开始后不一会儿，就产

生了赢家：书再一次赢了。

"真是个贪吃的人！"外婆说。

"我明白了！"碧娜很快说道，"下一次我要反过来：阅读点心，把书一页一页地撕下来吃！"

碧娜非常喜欢溜旱冰。她溜得好
极了，以至于她硬要让外婆也穿上旱
冰鞋。

外婆说："别跟我提这个！"但是碧

nà jiān chí
娜坚持。

zhǐ shì zài lù tái shang　　nǐ bù cháng shì de huà
"只是在露台上，你不尝试的话

bù zhī dào nǐ jiāng cuò guò shén me
不知道你将错过什么。"

ná zǒu　　ná zǒu　　　zhè bù kě néng
"拿走，拿走……这不可能！"

但碧娜有时候真的让人讨厌。

一天，外婆喝了一杯茴香酒后，

碧娜又开始了：

"来吧，外婆，穿上旱冰鞋，只在

露台上走走，不费什么事的，你绝对不

可能摔倒的，我帮你。"

外婆为了给碧娜惊喜，回答道："好

吧，好吧，但得等你妈妈出去买东西的

时候。"

碧娜高兴极了，跑去找旱冰鞋，同

时告诉外婆一些溜旱冰的技巧。

妈妈终于上街了，碧娜帮外婆

从椅子上站起来，对她说："现在开

始吧，你将会喜出望外的。"

她们走到阳台，外婆坐在摇椅

上，碧娜立刻给她穿上旱冰鞋。

碧娜碰到的第一个困难就是当她

想把外婆从摇椅上扶起来时，穿着

旱冰鞋的外婆从座位上站起来非常

困难，摇摇晃晃的，看上去很危险。

如果碧娜不想被压死，她就得赶快另想办法，所以她决定把摇椅转个圈，以便让外婆能抓住阳台上百叶窗的绳子站起来。碧娜准备帮外婆一把，她打算用一只手从后面推着她，另一只手把椅子撤走。

但这两只手都没能成功……

因为当外婆用自己的全部力量抓住绳子时，意想不到的事情发生了。

一切都发生得非常快，碧娜根本

没时间做出反应——只见百叶窗带着

巨大的轰鸣声掉了下来，外婆发髻

上的发卡飞了出去。在这一连串恐怖

shì jiàn fā shēng hòu　　wài pó shuāi zài le　dì shang
事件发生后，外婆摔在了地上。

　　shì qing de yuán yīn hěn róng yì xiǎng xiàng　dāng wài
　　事情的原因很容易想象：当外

pó yòng lì zhuā zhù bǎi yè chuāng de shéng zi shí　shéng zi
婆用力抓住百叶窗的绳子时，绳子

yí　xià　zi　sōng
一 下 子 松

le　　 bǎi　yè
了 ， 百 叶

chuāng bèi měng
窗 被 猛

de　hé shàng
地 合 上 。

dāng shéng zi　lā
当 绳 子 拉

dào　le　zuì dǐng
到 了 最 顶

duān　　wài pó
端 ， 外 婆

shǒu li hái zuàn zhe shéng zi　bǎi yè chuāng zì rán bèi zhuài
手里还攥着绳子，百叶窗自然被拽

le xià lái　wài pó yě shuāi zài dì shang　tā jù dà de
了下来，外婆也摔在地上。她巨大的

tún bù ràng tā méi yǒu shòu shāng　dàn shì shòu jīng de wài pó
臀部让她没有受伤，但是受惊的外婆

dèng dà le yǎn jing　pī san zhe tóu fa　jīng kǒng de hǎn
瞪大了眼睛，披散着头发，惊恐地喊

dào　　zài yě bú yào chuān hàn bīng xié le　wǒ de tóu chà
道："再也不要穿旱冰鞋了，我的头差

diǎn shuāi diào le
点摔掉了！"

bì nà xiào zhe dǎ gǔn　huí dá dào　　bú shì tóu
碧娜笑着打滚，回答道："不是头，

nà shì bǎi yè chuāng
那是百叶窗！"

妈妈和爸爸

yì tiān xià wǔ　　mā ma hé bà ba sàn bù huí lái
一天下午，妈妈和爸爸散步回来，

yù shàng le zhèng zài qǐ jū shì liáo tiān de bì nà　　jí nà
遇上了正在起居室聊天的碧娜、吉娜

hé wài pó　　liǎng gè hái zi zhèng zài yòng bì nà zhì zuò de
和外婆。两个孩子正在用碧娜制作的

qiān bǐ hé li de bǐ huà huà　　wài pó zhèng zài féng yì zhī
铅笔盒里的笔画画，外婆正在缝一只

yòng suì bù zuò de wá wa de bí zi　　tā men dōu méi tīng
用 碎 布 做 的 娃 娃 的 鼻 子。她 们 都 没 听

dào mā ma hé bà ba huí lái le　　hái zài jì xù liáo tiān
到 妈 妈 和 爸 爸 回 来 了,还 在 继 续 聊 天,

gēn běn méi fā xiàn bì nà de fù mǔ zhèng cóng mén fèng xiàng
根 本 没 发 现 碧 娜 的 父 母 正 从 门 缝 向

lǐ kàn
里 看。

bǎ mù qín de yán sè dì gěi wǒ　　jí nà duì bì
"把木琴的颜色递给我。"吉娜对碧

nà shuō
娜说。

nǐ kě yǐ chèn jī lì yòng nǎi hú dǔ shàng fèng
"你可以趁机利用奶糊堵上缝

xì　　wài pó shuō　　hái néng kàn dào diǎn
隙,"外婆说,"还能看到点。"

“什么缝隙？”吉娜好奇地问道。

“有一天我发明了一个可以传递信息和苹果的装置，在墙上钉了几个眼儿。”

吉娜指着碧娜刚刚画的一个合着的皮箱问道：

“里面有什么？”

“你猜猜看。”

“豌豆王子！”吉娜说。

“不是……”

“我的假牙？”又一次找不到假牙的外婆问道。

“不是，是一个永远也吃不完的巧克力点心！”

爸爸和妈妈纳闷儿地互相望了一眼。

“你听明白了吗？”妈妈悄声地问道。

“一点都没有！”爸爸回答。

“哎呀，安东尼奥，我有时真为这

个孩子担心。"

"不用担心,老婆,她的问题是她

的想法在云端之上……"

然后爸爸妈妈打开门,带着惊讶的

表情跟她们打招呼……

定价:16元

　　碧娜是个活泼快乐的小女孩，她有着丰富的想象力，总是能想出这样那样的新点子。家里的衣柜和旧皮箱也能让她玩上半天，爸爸妈妈总是觉得碧娜的想法很难理解，只有外婆才能和她玩在一起。家里这一老一小为所有人的生活都增添了不少乐趣……

定价:16元

　　市长爸爸决定把小城建成现代化城市,但前提是必须毁掉森林,这让他的孩子、他的市民还有森林中的小动物都无法接受。于是森林小精灵决定用神奇的方式惩罚他一下……第二天一早,毁掉森林的工作马上就要开始了,市长会受到教育吗？他最后会把小城建成什么样子呢？

定价:18元

　　弗罗罗是一只小猫，他喜欢坐在窗边看鹳鸟飞翔，并由此心生羡慕：要是自己也能飞，从高处看看一切，那该有多好啊。终于有一天，他鼓起勇气，爬上屋顶，腾空一跃，可还没来得及享受飞翔的喜悦，他就重重地摔在了地上。看来实现飞的梦想并不像想象得那么容易……

定价:18元

　　如果一本书也有思想，那么它的心情肯定会因为不同的读者而改变。有些孩子爱惜书，那双温暖的手会呵护着它，让它不会受到任何伤害；而有些孩子讨厌读书，他们会用野蛮的双手践踏书、糟蹋书，让书每天都生活在"水深火热"之中。不一样的手对于同一本书来说，竟有着天堂和地狱的区别，合上这本书，你今后会怎样做呢？